LES ROMAINS

ANDREW LANGLEY & PHILIP DE SOUZA

épigones

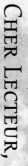

CHER LECTEUR,

LE *JOURNAL DU TEMPS* EST VOTRE JOURNAL FAVORI DEPUIS DES CENTAINES D'ANNÉES. NOUS AVONS PENSÉ QUE LE MOMENT ÉTAIT VENU DE RASSEMBLER NOS MEILLEURES HISTOIRES DANS UNE ÉDITION SPÉCIALE QUE NOUS VOUS PRÉSENTONS ICI.

NOUS AVONS RELATÉ LES ÉVÉNEMENTS-CLÉS QUI ONT CRÉÉ L'ÉMOTION À L'ÉPOQUE, ET REGARDÉ D'UN ŒIL NEUF TOUTES LES CHOSES VRAIMENT IMPORTANTES DE LA VIE : LE SPORT, LA MODE, LA FÊTE, ET MÊME LES CONSEILS POUR ACHETER UN ESCLAVE HONNÊTE ET TRAVAILLEUR.

NOUS AVONS PRIS GRAND PLAISIR À RASSEMBLER CES NOUVELLES ROMAINES, ET NOUS ESPÉRONS QUE VOUS EN AUREZ AUTANT À LES LIRE !

LES RÉDACTEURS EN CHEF

Andrew Langley   Philip de Souza

NOTE DE L'ÉDITEUR

Bien sûr, tout le monde sait que les anciens Romains n'avaient pas de journaux, mais si cela avait été le cas, ils auraient évidemment lu *Le Journal du Temps* !
Nous espérons qu'il vous plaira.

SOMMAIRE

CARTE DE L'EMPIRE ROMAIN

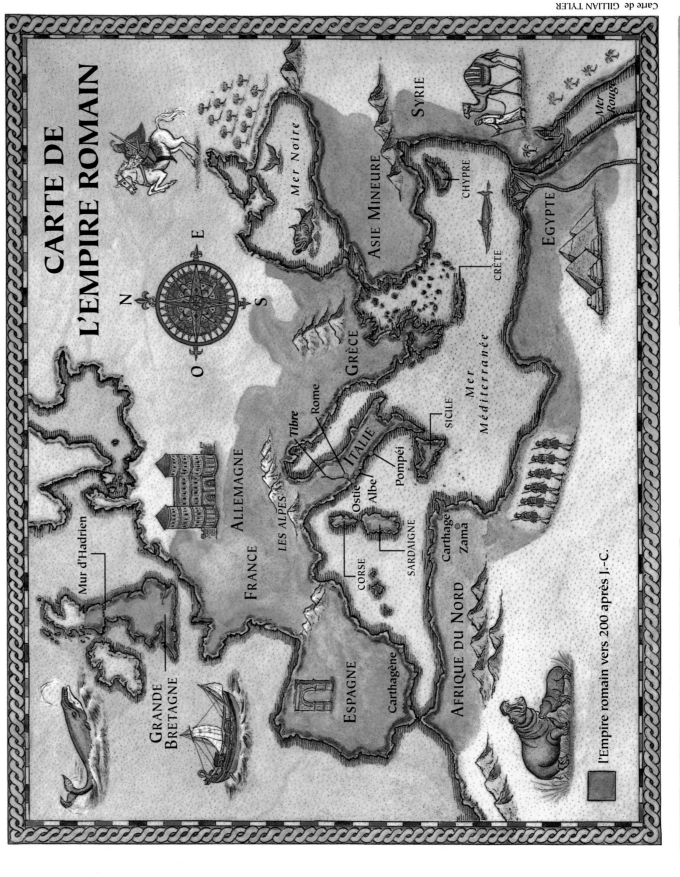

Carte de GILLIAN TYLER

l'Empire romain vers 200 après J.-C.

NAISSANCE D'UN GÉANT

Illustrations de CHRISTIAN HOOK

NOTRE GLORIEUSE CITÉ de Rome est aujourd'hui au cœur d'un vaste et puissant empire. Mais qui sait quand et comment elle fut fondée ?

Même ici, au *Journal du Temps*, nous ne savons pas exactement ce qui s'est passé il y a tant d'années. L'histoire est si ancienne que la vérité s'est perdue dans les brumes du temps. La meilleure version est celle de la légende populaire, la dramatique histoire des frères jumeaux Romulus et Rémus.

CONDAMNÉS À MOURIR

Tout bébés, les jumeaux furent cruellement arrachés à leur mère et abandonnés près du Tibre, destinés à mourir de faim.

Par miracle, une louve les sauva et s'en occupa comme de ses propres petits. Puis un berger

AMOUR MATERNEL : Une louve sauva les jumeaux de la mort.

découvrit les garçons et les emporta chez lui. Les années passèrent, et après maintes aventures, les frères apprirent qu'ils étaient de sang royal, princes de la ville voisine d'Albe.

Ils se rendirent à Albe et réclamèrent leur royaume. Pour célébrer leur victoire, les jumeaux décidèrent de construire une nouvelle ville magnifique sur l'une des sept collines bordant le Tibre, là où la louve les avait autrefois

découverts. Mais lequel d'entre eux allait diriger cette nouvelle ville ? Les jumeaux cherchèrent un signe des dieux. Rémus scruta le ciel et découvrit six vautours, mais Romulus en vit douze et déclara que cela lui donnait le droit de régner.

COMBAT MORTEL

Les deux frères se querellèrent et sortirent leurs épées. Un combat violent s'ensuivit, et Rémus tomba, tué par Romulus !

Une fois son frère mort, Romulus prit le pouvoir et donna à la nouvelle ville le nom de Rome en son honneur.

Bien sûr, certains ricanent et affirment que ce n'est qu'une légende idiote, et que Romulus n'a jamais existé, mais ceux-là devraient grimper au sommet du mont Palatin à Rome et aller voir la cabane en bois où vécut Romulus.

De toute façon, quoi qu'il se soit passé autrefois, nous sommes sûrs de deux choses : 753 avant J.-C., et notre premier roi s'appelait Romulus.

LUTTE POUR LE POUVOIR : Romulus et Rémus se battent pour être roi.

ET ENSUITE ?

ROMULUS fut le premier des nombreux Rois qui dirigèrent Rome au fur et à mesure qu'elle grandissait et prospérait.

Rome se développa et devint une ville riche et active. Elle conquit de plus en plus de terres, et vers 170 avant J.-C., elle était à la tête de l'Italie entière. Nous étions déjà en voie de devenir la fière et puissante nation d'aujourd'hui.

MAIS ces rois finirent par se montrer trop avides de pouvoir et d'argent et ils durent s'en aller : en 509 avant J.-C., les nobles mirent le dernier à la porte et firent de la cité une république, où les dirigeants étaient choisis par le peuple.

L'ATTAQUE D'HANNIBAL

Illustration de RON TINER

ROME a connu des bouleverse-ments tout au long de son histoire. Le pire a sans doute été l'invasion des Carthaginois vers 200 av. J.-C. *Le Journal du Temps* fait le point sur les événements-clés de cette terrible période.

Carthage avait été pendant longtemps une cité puissante qui contrôlait quasiment toute la mer Méditerranée. Mais notre pays prenait de l'impor-tance, et dans les années 260 av. J.-C., nous étions en guerre ouverte contre les Carthaginois.

Cela durait depuis 20 ans sans qu'aucune armée n'arrive à prendre le dessus. Puis, en 241 av. J.-C., nos valeureuses troupes remportèrent une victoire éclatante.

Furieux de cette défaite, les Carthaginois jurèrent d'écraser Rome une bonne fois pour toutes. Ils longèrent la côte d'Afrique du Nord vers l'ouest et gagnèrent l'Espagne, où ils fondèrent une base du nom de Carthagène.

Là, des troupes se joignirent à eux, tentées par la perspective d'un pillage.

Hannibal, le jeune et brillant général carthagi-nois, constitua rapidement une armée de 40 000 hom-mes, à laquelle il adjoignit une arme terrifiante : 40 éléphants de combat africains, dressés à charger l'ennemi et le piétiner.

À TRAVERS LA MONTAGNE

Hannibal était prêt à nous envahir. Son armée se dirigea vers le nord, recrutant encore en cours de route. Mais il atteignit bientôt les sommets glacés des Alpes.

Heureusement pour Rome, la traversée de la montagne se paya chèrement : lorsqu'Han-nibal entra en Italie en 218 av. J.-C., il avait perdu un quart de ses troupes et beaucoup de ses élé-phants. Il gagna pourtant trois batailles acharnées

ITINÉRAIRE RISQUÉ : L'armée d'Hannibal subit de terribles pertes lors de la traversée des Alpes.

contre notre armée, laissant le sol jonché de morts romains.

L'ENNEMI À LA PORTE

En 216 av. J.-C., il semblait certain que le désastre allait gagner Rome. La ville était sans défense, il suffisait à Hannibal d'y entrer.

Mais il fit une erreur. Son armée était réduite, et au lieu d'attaquer notre ville, il perdit plusieurs années à errer dans le sud de l'Italie à la recherche de nourriture et de soldats supplémentaires.

armée et, en 204 av. J.-C., nos chefs mirent au point un projet audacieux.

Sous les ordres du général Scipion, une armée romaine d'élite fut envoyée en Afrique pour attaquer la ville de Carthage.

Désespérés, les Carthaginois rappelèrent Hannibal et son armée, mais ils furent battus à plate couture à Zama, au sud-ouest de Carthage. Ainsi tomba sous le contrôle de Rome cette nation autrefois si puissante.

Rome avait affronté et même vaincu la plus grande menace de son histoire !

Rome mit ce temps à profit pour reconstituer son

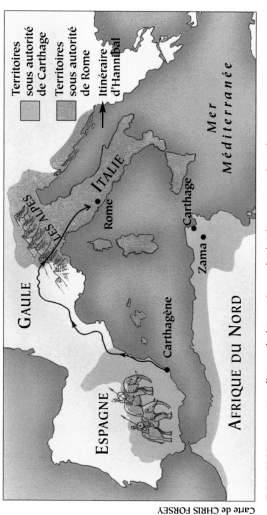

Territoires sous autorité de Carthage

Territoires sous autorité de Rome

Itinéraire d'Hannibal

GAULE

LES ALPES

ITALIE

Rome

ESPAGNE

Carthagène

Mer Méditerranée

Zama

Carthage

AFRIQUE DU NORD

INVASION : Le trajet d'Hannibal jusqu'en Italie lui fit traverser les Alpes.

CÉSAR ASSASSINÉ !

Illustration de P. J. LYNCH

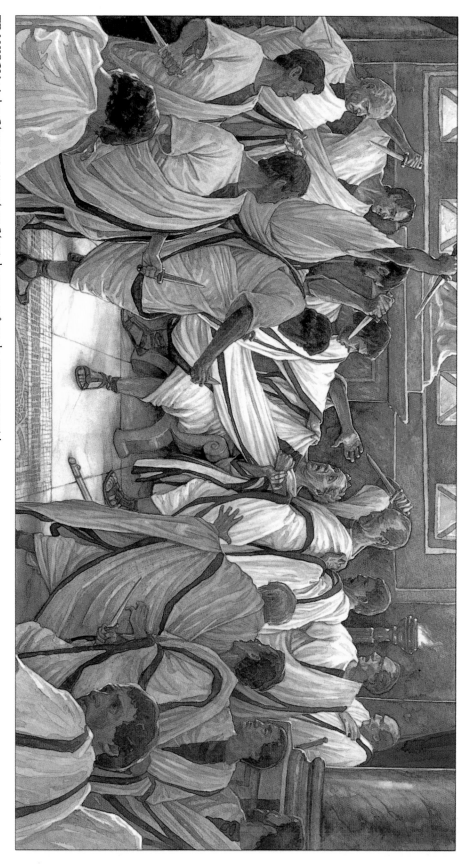

TRAHISON : Jules César est attaqué au Sénat, le cœur même du gouvernement !

«CÉSAR EST MORT», titrait en première page *Le Journal du Temps* le 15 mars 44 av. J.-C. Revenons sur ce scandale.

Rome était sens dessus dessous après le meurtre de son chef, poignardé à mort par ses anciens amis !

En 59 av. J.-C., il était devenu consul, le plus haut poste du pays, mais son mandat ne durait qu'un an, et il ne voulait pas lâcher les rênes. Il se mit donc d'accord avec deux amis puissants, Pompée et Crassus, pour diriger la République de Rome à eux trois.

Ainsi disparaissait l'homme à l'origine du plus grand changement de l'histoire de notre pays : le passage d'une république dont les chefs étaient choisis par le peuple, à un empire aux mains d'un seul homme.

Jules César avait toujours brigué le pouvoir.

Mais Crassus mourut peu après, et en 49 av. J.-C., César et Pompée se disputèrent le contrôle du pays.

César était soutenu par des troupes fidèles qui avaient combattu à ses côtés pour la conquête de vastes régions en Gaule. Elles n'eurent aucun mal à écraser l'armée de Pompée.

Dès lors, plus rien ne pouvait arrêter César. Il fut bientôt nommé consul à vie. Mais sa popularité ne dura pas. Certains craignaient qu'il ne veuille se proclamer roi, et le peuple de Rome s'était juré de ne plus jamais en accepter après s'être débarrassé du dernier 500 ans plus tôt.

Un groupe de sénateurs, des camarades de politique de César, décidèrent de le tuer et de reprendre le pouvoir en mains.

En ce matin fatal de mars, les conspirateurs entourèrent César au Sénat et lui plongèrent leurs poignards dans le corps. Puis ils s'enfuirent en brandissant triomphalement leurs armes sanglantes.

Mais ils ne purent s'échapper. Le fils adoptif de César, son héritier, les poursuivit et prit lui-même le pouvoir. Cet homme, Auguste, allait devenir le premier d'une longue série d'empereurs qui nous dirigent depuis lors.

L'irrésistible ambition de Jules César a causé sa mort, mais nous a apporté l'Empire romain.

JE VOUS CROYAIS MES AMIS

Dessin de MARTIN BROWN

UNE VILLE DÉTRUITE

Illustration de ALAN FRASER

IL A EU CHAUD !

EN CE JOUR FATIDIQUE, l'écrivain Pline le Jeune se trouvait dans la ville de Misenum, à 30 km de là. Il raconte ici sur le vif comment il a pu s'enfuir.

« Nous avons vu la mer aspirée plus loin par le tremblement de terre. Elle s'est retirée du rivage, abandonnant beaucoup d'animaux marins sur la terre sèche. Il pleuvait déjà des cendres, mais pas encore très dru. En regardant autour de moi, j'ai vu un épais nuage noir arriver par derrière et se répandre sur la terre comme une inondation.

– Quittons la route tant que l'on y voit encore, ai-je dit, ou nous risquons d'être renversés et piétinés dans la nuit.

Nous étions à peine assis que l'obscurité est devenue totale, pas comme une nuit sans lune ou nuageuse, mais comme si on avait éteint la lampe dans une pièce fermée.

On entendait des cris de femmes, des gémissements d'enfants et des hurlements d'hommes.

Une singulière clarté est apparue, différente du jour, un peu comme celle d'un incendie lointain.

Puis de nouveau l'obscurité s'est faite et des cendres sont tombées, cette fois-ci très serrées. Nous nous levions régulièrement pour les secouer, autrement nous aurions été enterrés et écrasés sous leur poids.

Enfin, il a fait vraiment jour. Nous avons été terrifiés de voir que tout le paysage était transformé, enfoui sous une épaisse couche de cendres comme des congères. »

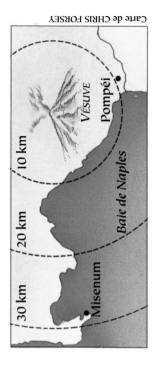

Carte de CHRIS FORSEY

10 km   20 km   30 km   VÉSUVE   Pompéi   Baie de Naples   Misenum

RETOMBÉES : Les pluies de cendres du volcan.

SANS ISSUE : Les gens fuient le déluge mortel de pierres et de cendres du volcan.

LE VÉSUVE est relativement calme aujourd'hui, avec ses bosquets d'oliviers et ses pâtures. Il fut pourtant la cause du plus grand désastre qu'a connu notre pays, la mort d'une ville entière.

Dans l'après-midi du 24 août 79 ap. J.-C., le Vésuve se transforma en tueur. Le volcan entra en éruption, vomissant de gros nuages de cendre et de pierres avec une épaisse fumée noire. La cendre brûlante se répandit sur la ville animée de Pompéi, située à 10 km.

Suffoquant et aveuglée par la fumée, terrifiée, la population s'enfuit, alors que le tremblement de terre qui secouait le sol l'empêchait de courir.

En quelques heures, la cendre avait tout recouvert à part les plus hauts bâtiments.

Plus de 20 000 personnes sont mortes ce jour-là, étouffées par la cendre. Une ville florissante avait été rayée de la carte !

UN SEUL CHEF !

Illustration de TONY SMITH

GUERRE SAINTE : Aucune chance pour les troupes de Maxence face aux assauts de l'armée de Constantin.

L'HISTOIRE A MONTRÉ que notre Empire prospère quand il est mené par un homme fort. Vers l'an 300, plusieurs chefs se le disputaient, lorsque l'empereur Constantin prit les rênes du pouvoir.

Les problèmes avaient commencé vers 285, quand l'empereur Dioclétien avait partagé l'Empire en quatre régions, chacune dirigée par un homme différent.

Constantin arriva au pouvoir 21 ans plus tard, en 306, à la tête de l'une de ces régions. Bien qu'il régnât sur la Germanie, la Gaule et la Grande Bretagne, cela n'était pas assez pour lui. Il jura d'éliminer ses trois collègues empereurs et de prendre leur place. Il lui fallait d'abord reprendre à Maxence le contrôle de Rome.

À L'ATTAQUE

Constantin rassembla son armée bien entraînée et traversa la Gaule pour gagner l'Italie en 312 ap. J.-C.

Au lieu d'affronter les envahisseurs, Maxence s'enfuit, mais Constantin le rattrapa à Rome, près du Pont Milvius, où une frêle rangée de bateaux reliés entre eux enjambait le Tibre. L'armée de Constantin gagna là une bataille décisive.

Maxence et ses hommes tentèrent de fuir par le pont de bateaux, mais la plupart se noyèrent lorsque celui-ci s'effondra.

Constantin entra triomphalement dans Rome et se prépara à la suite des événements.

Son rival le plus important était maintenant Licinius, qui avait déjà battu le quatrième empereur Maximin.

En 324, Constantin attaqua Licinius dont il écrasa l'armée après deux batailles acharnées.

Notre Empire était enfin fermement repris en mains par un seul homme.

PAS DE PAIX

CONSTANTIN arrive au pouvoir à une époque troublée de l'histoire de notre Empire. En 324, le *Journal du Temps* examine de près la situation et souligne certains des problèmes auxquels nous sommes confrontés.

■ Depuis 200 ans, nos terres sont en permanence attaquées par de féroces tribus barbares venues de l'extérieur.

Mais l'Empire est maintenant si étendu que nous ne pouvons tout simplement pas en assurer la protection partout. Un jour, ces tribus vont nous envahir et nous détruire.

■ Ce ne sont plus les politiciens à Rome qui décident du prochain empereur. L'armée est si puissante que ce sont maintenant les soldats qui choisissent notre chef. Et si celui-ci ne se montre pas à la hauteur, ils le tuent et en choisissent un autre ! Ainsi, les empereurs se succèdent, et aucun ne reste assez longtemps au pouvoir pour venir à bout du désordre dans l'Empire. En 238, nous avons eu sept empereurs en un an.

■ La plupart des soldats ne sont même pas romains. Les citoyens ne veulent plus s'engager dans l'armée et il revient moins cher de payer des barbares pour se battre à notre place. Mais ces étrangers peuvent se retourner contre nous à tout moment.

VISION DE VICTOIRE

Enquête sur une victoire, 312 ap. J.-C.

Un étonnant spectacle s'est déroulé hier lors de la bataille du Pont Milvius. Un symbole chrétien était peint sur le bouclier de chaque soldat de Constantin : l'empereur avait reçu en rêve l'ordre de combattre sous ce signe, et il proclame maintenant que cela l'a aidé à vaincre.

INAUGURATION DU COLISÉE

Illustration de CHRISTIAN HOOK

C'est l'endroit le plus connu et le plus populaire de Rome : le Colisée ! *Le Journal du Temps* se rappelle les spectaculaires festivités qui furent données pour l'inauguration de ces fabuleuses arènes dédiées au sport, en 80 ap. J.-C.

La construction du Colisée a pris plus de dix ans, mais cela valait la peine d'attendre. Les cérémonies d'ouverture ont duré cent jours.

Chaque jour, les gradins étaient envahis dès le milieu de la matinée par une foule de citoyens et d'esclaves. Les plus pauvres prenaient place au sommet, alors que les sièges les plus proches de l'arène étaient réservés aux sénateurs et aux personnages importants.

animaux ont été amenés des quatre coins de l'Empire.

Les spectateurs avaient le souffle coupé lorsque les gladiateurs apparaissaient comme par magie dans l'arène, tirés des souterrains situés au-dessous par des grues.

MERVEILLES AQUATIQUES

Mais l'apogée de la fête a été la mise en eau de l'arène pour une bataille navale incroyablement réaliste. Pour combattre, les navires se percutaient les uns les autres jusqu'à se faire couler, pendant que les rameurs se noyaient.

Toutes ces merveilles ont marqué le début des

Jour après jour, le sable de l'arène était inondé du sang des gladiateurs qui se battaient à mort à la hache ou au couteau. D'autres se mesuraient à des fauves exotiques : lions, léopards, panthères, ours. Plus de 9 000

TUER OU ÊTRE TUÉ : Combat à mort entre un rétiaire (à gauche) et un mirmillon.

années glorieuses du Colisée. Depuis, il a abrité des milliers de combats de gladiateurs et attiré un énorme public.

Il y a bien sûr beaucoup de belles arènes dans l'Empire : presque chaque ville importante en possède, mais aucune n'est comparable au Colisée de Rome, qui reste la plus grande et la plus belle !

COLOSSAL COLISÉE : 50 000 places assises.

Illustration de KATHERINE BAXTER

DANS L'ARÈNE

Illustrations de CHRISTIAN HOOK

QUEL GARÇON n'a pas rêvé d'être gladiateur ? Ils ont beau être esclaves ou criminels, ils n'en sont pas moins fascinants ! Voici le témoignage d'un combattant expérimenté sur la vie dans l'arène.

« Je suis gladiateur depuis maintenant dix mois, et croyez-moi, je n'en reviens pas ! Aucun de ceux avec lesquels je me suis entraîné n'est encore vivant. La formation ne dure que quelques mois, et seulement avec des armes en bois, car si c'était des vraies, nous attaquerions nos gardes et nous enfuirions !

encombrant et lourd qu'il n'est d'aucune aide.

Le Thrace a un petit bouclier léger qui lui permet d'être rapide mais qui ne le protège pas. Il a aussi un long sabre courbe.

J'ai eu la chance d'avoir une formation de Samnite. Je suis bien protégé par un grand bouclier et un solide casque, mais le torse est vulnérable. Si un coup évite mon bouclier et m'atteint au ventre, je suis cuit.

Je me rappelle mon premier combat, j'étais terrifié ! Mais avec les esclaves armés de fouets de cuir et de fers rouges pour vous pousser dans l'arène, pas moyen d'y échapper.

J'ai gagné cinq combats, quatre de plus que la majorité. Remarquez, je n'ai survécu au dernier que parce que la foule a levé le pouce pour montrer qu'elle voulait que je vive. J'espère qu'elle continuera à me soutenir, et peut-être qu'un jour j'aurai ma liberté en récompense. »

AU COMBAT : Un rétiaire essaie de prendre un Thrace au filet.

On ne choisit pas quelle sorte de gladiateur on devient, mais chacun des trois principaux genres a ses avantages et ses inconvénients :

Le rétiaire a le privilège du filet qui lui sert à emprisonner son adversaire, mais si on arrive à l'en débarrasser, il n'a plus qu'un long trident si encombrant et lourd qu'il

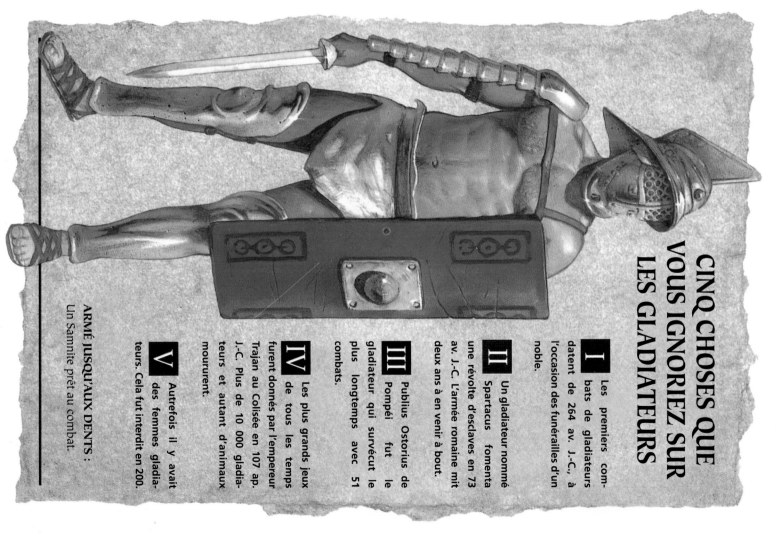

CINQ CHOSES QUE VOUS IGNORIEZ SUR LES GLADIATEURS

I Les premiers combats de gladiateurs datent de 264 av. J.-C., à l'occasion des funérailles d'un noble.

II Un gladiateur nommé Spartacus fomenta une révolte d'esclaves en 73 av. J.-C. L'armée romaine mit deux ans à en venir à bout.

III Publius Ostorius de Pompéi fut le gladiateur qui survécut le plus longtemps avec 51 combats.

IV Les plus grands jeux de tous les temps furent donnés par l'empereur Trajan au Colisée en 107 ap. J.-C. Plus de 10 000 gladiateurs et autant d'animaux moururent.

V Autrefois il y avait des femmes gladiateurs. Cela fut interdit en 200.

ARMÉ JUSQU'AUX DENTS : Un Samnite prêt au combat.

UNE JOURNÉE AUX COURSES

Illustration d'ANGUS McBRIDE

LE PREMIER AU POTEAU : Les auriges fouettent leurs chevaux avant la ligne d'arrivée.

La course de chars est-elle une perte de temps ? Après tout, plus de 400 000 personnes passent une journée par semaine au champ de courses de Rome. *Le Journal du Temps* a demandé à un turfiste habitué ce qui l'y attirait.

⁇ Certains qualifient les courses de « passion puérile », êtes-vous d'accord ?

Puérile je ne sais pas, mais passionnante, oui ! Quand les chars (en général entre 4 et 12) s'élancent, je crie déjà pour soutenir mon équipe. Au troisième tour de piste, je voudrais que mon aurige fouette ses chevaux plus fort. Au septième tour, les chevaux donnent le maximum pour franchir la ligne d'arrivée et la foule tout entière hurle debout.

⁇ N'y a-t-il pas des gens qui se laissent emporter ?

Si, je suppose que des jeunes garçons surexcités peuvent se bagarrer dans la rue ensuite, mais c'est parce que chacun veut la victoire de son équipe. Je suis un supporter des Verts, mais chaque équipe a les siens : pour certains les Bleus, pour d'autres les Rouges ou les Blancs.

⁇ Que pensez-vous des dangers de la piste ?

Les chars sont parfois poussés contre les murs et ils se renversent ou les roues se brisent. Comme les auriges ont les rênes enroulées autour de la taille, beaucoup sont traînés sous les sabots ou les roues des concurrents.

⁇ Vous ne pensez donc pas qu'une journée aux courses soit du temps perdu ?

Sûrement pas ! Pas plus que des milliers de gens. Après tout, rien qu'à Rome, il y a cinq hippodromes, et la plupart des villes de l'Empire en ont au moins un. Non, les courses de char ne sont pas près de disparaître !

GUIDE DU BON ESCLAVE

Illustration de MAXINE HAMIL

Vous allez fonder un foyer, et il vous faut évidemment des esclaves. Mais comment les choisir et les acheter ? En suivant les conseils du *Journal du Temps*, bien sûr !

D'abord, combien d'esclaves vous faut-il ? Si vous êtes riche, vous pouvez en avoir autant que vous voulez : une famille fortunée peut en posséder jusqu'à 500 pour tenir ses maisons et ses fermes, certains empereurs en ont eu 20 000. Mais vous êtes sûrement un cas plus courant, vous en voudrez au moins cinq ou six.

Ensuite, quelle sorte d'esclaves acheter ? Il vaut la peine de les payer plus cher pour quelques personnes vraiment compétentes : cuisinier, tailleur, et peut-être secrétaire.

Il vous faut un homme robuste pour tout le travail pénible, et quelques jeunes filles jolies pour servir vos hôtes lors de vos réceptions.

Reste le plus délicat : qui sont les meilleurs esclaves ? Nous vous conseillons d'acheter des enfants d'esclaves, même si c'est plus cher. Ils ont grandi en esclavage et travaillent depuis qu'ils peuvent marcher, ils ne connaissent donc rien d'autre.

Vous pouvez aussi essayer des enfants abandonnés par leurs parents. Ils ne vous coûteront rien, et on en trouve facilement autour des villes. Élevez-les comme faisant partie de la famille, et vous verrez qu'ils vous seront fidèles.

Mais sachez que s'ils arrivent à prouver que leurs parents n'étaient pas esclaves, vous ne pourrez pas les garder.

On peut aussi acheter des prisonniers de guerre, mais ils ne parlent généralement pas latin, ou des criminels condamnés à l'esclavage. Les deux sont bon marché, alors voyez ce que vous trouvez à vendre près de chez vous.

PAS DE LIBERTÉ POUR LES ESCLAVES

Un dernier avis : certains permettent à leurs esclaves de garder les pourboires pour racheter leur liberté. Nous vous le déconseillons, car vous n'aurez plus qu'à en racheter et en reformer d'autres.

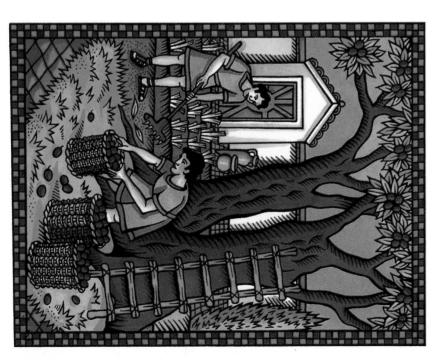

TRAVAUX DE FORCE : Il faut des esclaves robustes et sains pour les nombreux travaux pénibles de la maison et du jardin.

AU PÉRIL DE LEUR VIE

Illustration de PETER MORTER

Nous admirons tous le courage de nos soldats et de nos gladiateurs, mais quid de celui de nos marchands ? Savez-vous que leur vie est loin d'être un long fleuve tranquille !

Qu'ils voyagent sur terre ou sur mer, nos commerçants sont séparés de leur famille pendant des mois, quelquefois des années d'affilée. Et lorsqu'ils entreprennent une expédition, ils risquent leur vie pour nous.

Pirates, embuscades et naufrage font partie des dangers que ces hommes courageux bravent pour nous. Pour rapporter les soies luxueuses et les épices exotiques que nous apprécions tant, soit ils traversent les terribles déserts d'Asie pour gagner la Chine, soit ils descendent la mer Rouge en bateau pour atteindre l'Inde. Mais ces voyages lointains ne sont pas les plus dangereux, ceux qui naviguent sur la Méditerranée affrontent aussi des périls qui leur coûtent trop souvent la vie : chaque année, des centaines de bateaux se brisent sur les côtes rocheuses ; et puis les pirates sont partout. En cas d'attaque, les commerçants risquent non seulement de perdre leur cargaison, mais aussi leur liberté. S'ils survivent à la capture des pirates, ils seront réduits en esclavage.

TOUJOURS PLUS DE NOURRITURE

Pourquoi continuer à prendre de pareils risques? Ce n'est pas seulement pour l'argent que rapportent les produits de luxe. La nourriture importée par les négociants nous empêche de mourir de faim. Nous sommes si nombreux maintenant à vivre en ville que les récoltes de nos fermiers ne suffisent plus à nous nourrir tous. Que deviendrions-nous sans le grain d'Egypte, le vin de Gaule et l'huile d'olive d'Espagne ?

Ainsi, la prochaine fois que vous vous mettrez à table, ayez une pensée pour ceux qui risquent leur vie à remplir votre assiette.

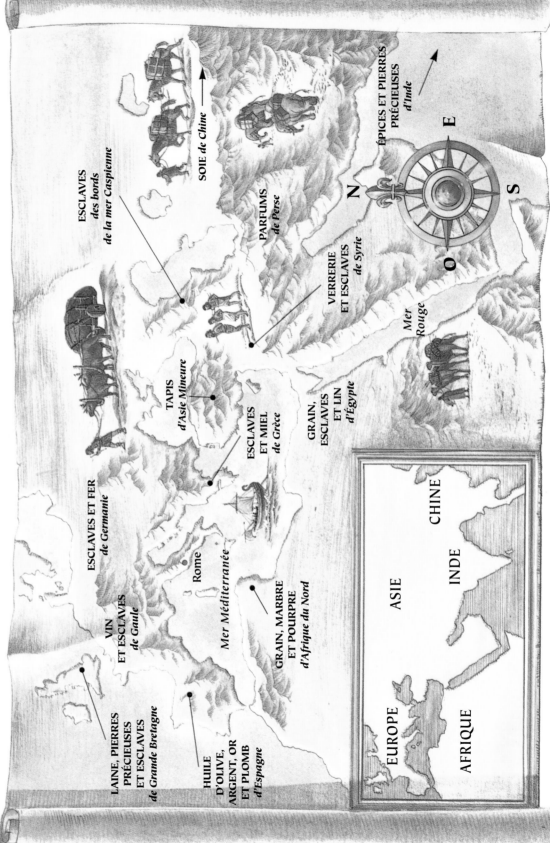

ESCLAVES ET FER *de Germanie*

VIN ET ESCLAVES *de Gaule*

Rome

Mer Méditerranée

GRAIN, MARBRE ET POURPRE *d'Afrique du Nord*

LAINE, PIERRES PRÉCIEUSES ET ESCLAVES *de Grande Bretagne*

HUILE D'OLIVE, ARGENT, OR ET PLOMB *d'Espagne*

ESCLAVES des bords *de la mer Caspienne*

TAPIS *d'Asie Mineure*

ESCLAVES ET MIEL *de Grèce*

PARFUMS *de Perse*

VERRERIE ET ESCLAVES *de Syrie*

Mer Rouge

GRAIN, ESCLAVES ET LIN *d'Egypte*

SOIE *de Chine*

ÉPICES ET PIERRES PRÉCIEUSES *d'Inde*

N
O
E
S

EUROPE
ASIE
CHINE
INDE
AFRIQUE

COMMERCE MONDIAL : Les marchands vont aux quatre coins du monde s'approvisionner en nourriture ou en produits de luxe.

PORT À VOTRE PORTÉE

HANGARS À LOUER

Illustré par PETER VISSCHER

SUPERBE EMPLACEMENT !

Situés dans le plus grand port de l'Empire, ces bâtiments offrent de grandes surfaces pour entreposer des cargaisons d'huile, de grain, de bois ou de vin.

UN PORT HISTORIQUE !

Commencé par l'empereur Claude dans les années 50, le port d'Ostie est maintenant le plus fréquenté au monde.

LA SÉCURITÉ D'ABORD !

À l'entrée, un phare est allumé 24 heures sur 24 et guide des centaines de bateaux jusqu'au port.

CORRESPONDANCES AVEC LA CAPITALE !

Un service régulier de navettes relie le port à Rome, située à 30 km en remontant le Tibre. Le trajet dure quelques heures.

Pour plus de détails sur cette formidable occasion, contactez **L'ASSOCIATION DE LA MARINE MARCHANDE, DERRIÈRE LE THÉÂTRE, OSTIE**

LES PIRATES

L e mot « pirate » suffit à terrifier n'importe quel marchand. Mais comment se passe en réalité une attaque de ces bandits assoiffés de sang ? Le Journal du Temps a rencontré un heureux survivant...

Racontez-nous cette journée fatale.

Eh bien, j'étais passager sur un petit navire de commerce qui reliait l'Afrique et la Sicile. Nous étions dix à bord : trois autres marchands et six hommes d'équipage. Dès le premier jour, j'ai remarqué une petite galère qui se dirigeait vers nous. Quand elle s'est rapprochée, mon cœur s'est serré : c'était un bateau de pirates !

Qu'avez-vous fait ?

Il n'y avait rien à faire. La côte était trop rocheuse pour débarquer et le vent trop faible pour nous pousser. La galère avait des rameurs, elle pouvait donc facilement nous rattraper, les pirates avaient tout prévu.

Que s'est-il passé ?

Les pirates nous ont accostés et ont sauté à bord. Ils étaient à peu près 50, tous armés jusqu'aux dents de poignards, d'épées et de lances. C'était terrifiant, j'ai vraiment cru ma dernière heure arrivée.

Comment êtes-vous sorti vivant ?

J'ai vite compris que les pirates s'intéressaient à nous plus qu'à notre chargement. On nous a emmenés à bord de leur bateau comme du bétail. Un des marins a essayé de se défendre, mais les pirates l'ont presque battu à mort. Puis on nous a enfermés dans la cale puante et obscure, sans nourriture, avec seulement un seau d'eau. Et nous avons été vendus comme esclaves au port le plus proche.

Vous avez réussi à vous échapper ?

Heureusement, un ami m'a reconnu et s'est arrangé pour me racheter. J'ignore quand je pourrai le rembourser, mais ce dont je suis sûr, c'est que je ne remettrai jamais les pieds sur un bateau !

EMPIRE OU RÉPUBLIQUE ?

Illustration de CHRISTIAN HOOK

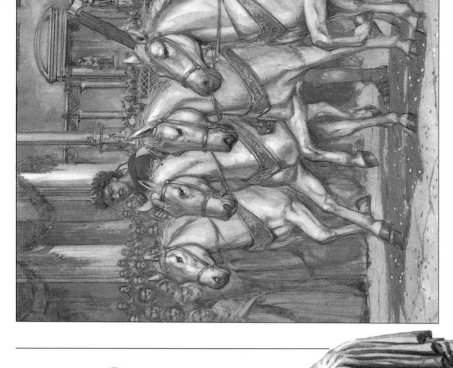

DANS les mains d'un seul homme, l'Empire romain a pris, selon certains, un essor spectaculaire. D'autres préféraient la vie avant l'empire, au temps de la République. *Le Journal du Temps* examine ici les deux points de vue.

Les tenants de la république font remarquer qu'à l'époque, le pouvoir n'était pas concentré dans les mains d'une seule personne, l'empereur. Au contraire, Rome était gouvernée par 600 sénateurs choisis dans les familles riches, et dirigés par deux consuls. Ceux-ci n'avaient pas le temps de se montrer trop gourmands ni puissants puisqu'ils n'étaient en poste qu'une année, au bout de laquelle deux nouveaux consuls les remplaçaient.

Sous la République, tous les citoyens libres (ni les esclaves ni les femmes, évidemment) prenaient part au gouvernement de la nation.

Pour commencer, les citoyens choisissaient les sénateurs et les consuls. Ils pouvaient aussi aller au Forum ou au Champ de Mars, à Rome, pour écouter les discours des hommes politiques. De plus, ils votaient sur des sujets importants, comme de déclarer la guerre ou non.

CHANGEMENT POSITIF

Bien sûr tout a changé depuis que le grand Auguste est devenu le premier empereur romain en 27 av. J.-C. Maintenant c'est l'empereur qui gouverne et prend toutes les décisions importantes.

Certains pensent qu'il a trop de pouvoir, mais ils oublient que ce sont les empereurs qui ont fait de notre nation la plus grande du monde, en gagnant de nouvelles terres et en nous protégeant des invasions étrangères.

De plus, même l'empereur le plus puissant ne peut gouverner un peuple qui se retourne contre lui : il risque sa vie s'il devient trop impopulaire.

Voilà pourquoi nos empereurs prennent tant

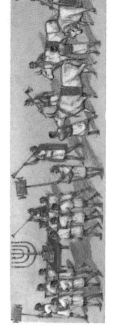

LE TRIOMPHE DE VESPASIEN

Illustrations de RICHARD HOOK

Les Romains adorent les spectacles, et l'un des plus beaux fut la parade victorieuse donnée par l'empereur Vespasien en 71 ap. J.-C. Un envoyé du *Journal du Temps* était là...

Les rues de Rome sont envahies par la foule depuis avant l'aube. Chaque bâtiment bordant l'itinéraire est encombré d'une foule qui se presse aux fenêtres. Vers midi,

quand le défilé approche enfin, les acclamations fusent.

En tête viennent les sénateurs, suivis des troupes de Vespasien en rangs serrés. Des soldats portent le butin

UN HOMME PUISSANT : Auguste, notre premier empereur.

soin de nous. Ils dépensent des fortunes pour nous offrir de la nourriture et des jeux, depuis les combats de gladiateurs jusqu'aux triomphes donnés après les grandes batailles.

Ici, au *Journal du Temps*, nous en sommes certains : sous l'Empire, nous vivons plus heureux, plus en sécurité et plus glorieux. Longue vie à l'Empire romain !

CONSEILS POUR RÉUSSIR

COMMENT réussir dans la vie ? Cette question a été posée par des centaines de lecteurs durant toutes ces années. Pour vous aider, voici les conseils du rédacteur politique du *journal du Temps*.

? Quelle est la clé du succès en politique ?

Vous n'arriverez à rien dans la vie si vous n'êtes pas citoyen romain. Être un homme libre signifie que vous pouvez porter une toge et jouir du respect qu'elle attire. Mais si vous êtes un esclave libéré, vous n'êtes pas citoyen à part entière, ce sont vos petits-enfants qui le seront.

? Est-ce important d'habiter à Rome même ?

En principe, non, vous êtes Romain où que vous viviez dans l'Empire. Pourtant ceux qui habitent en province, loin de Rome, auront plus de mal à réussir. Mais ne perdez pas espoir, souvenez-vous que le général Trajan était originaire d'Espagne et qu'il a réussi à devenir empereur.

? Comment me démarquer de l'homme de la rue ?

Devenez « patron » et venez en aide à des gens plus pauvres. Vous aurez l'air important si vous êtes entouré d'une foule de gens, mais cela coûte cher : pour obtenir leur soutien, vous devrez les nourrir et vous occuper d'eux !

? Que faut-il pour commencer ?

Très simple : de l'argent ! Pour arriver au sommet, il faut d'abord être sénateur, le gratin de la société. Et pour être sénateur, il faut au moins 1 million de sesterces, une somme coquette quand on sait que la plupart des soldats n'en gagne que 3000 par an. Beaucoup d'empereurs ont commencé comme sénateurs, alors entrez au Sénat, et qui sait où vous finirez !

---

victoire en Palestine par un magnifique triomphe.

JOUR DE GLOIRE : L'empereur Vespasien fête sa victoire en Palestine par un magnifique triomphe.

Enfin l'empereur arrive et l'excitation est à son comble. Dans ses vêtements pourpre et or, il vont être abattus au Temple de Jupiter en remerciement pour notre grande victoire sur les Hébreux en Palestine.

de la bataille, d'autres conduisent des centaines de bœufs pour le sacrifice : ils vont être abattus au Temple de Jupiter en remerciement pour notre grande victoire sur les Hébreux en Palestine.

PRISONNIERS ENCHAÎNÉS

La foule rugit de plaisir quand apparaît une litière où sont exhibés les chefs ennemis, suivie de colonnes de soldats enchaînés.

Selon la coutume, l'esclave qui tient la couronne au-dessus de sa tête lui murmure toute la journée : « Souviens-toi que tu n'es qu'un homme ». Mais les hurlements de la foule lui disent bien assez que pour nous, il est un dieu !

LE FRONT

Illustration de ANGUS McBRIDE

REPOS MÉRITÉ : Des légionnaires bivouaquent après une rude journée de marche.

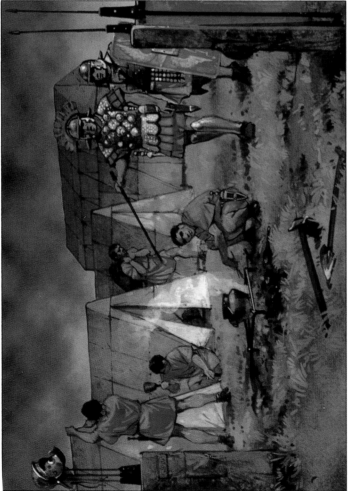

NOTRE vaste Empire a été conquis par des fantassins ordinaires. En leur honneur, *Le Journal du Temps* réédite un article paru en 80 ap. J.-C., quand nos troupes se battaient à l'extrême nord de l'Empire où un reporter avait été dépêché.

GAUCHE, DROITE ! Gauche, droite ! Le cliquetis parfaitement rythmé des chaussures cloutées résonne à mes oreilles alors qu'une longue colonne de soldats avance lourdement. Chaque jour, 30 km de marche nous rapprochent de l'ennemi. Nous sommes

en effet aux confins du monde connu, dans les froides étendues de Grande Bretagne.

J'ai rejoint une légion de 5 000 fantassins. Ces légionnaires sont regroupés en centuries, unités d'environ 80 hommes. Six centuries font une cohorte, et une légion compte six cohortes. Celle-ci est commandée par le grand général Agricola, dont la mission est de vaincre les tribus celtiques du nord de la Grande Bretagne et de conquérir de nouvelles terres pour l'Empire.

Les hommes marchent derrière le drapeau de leur légion, bravant fièrement un environnement difficile : la pluie tombe sans

arrêt, éclabousse les jambes nues des soldats, dégouline sur leur visage et imbibe leur sac déjà lourd.

Il y a des mulets pour transporter les tentes, mais chacun porte sur le dos ses propres affaires : vêtements, tapis de sol, trois jours de nourriture, seau, pelle, pioche, scie et pieu, c'est un lourd chargement. Le légionnaire doit aussi porter son casque de fer et ses armes : une épée, un bouclier et une paire de javelots, en plus de son armure.

Voilà pourquoi ils sont si contents de s'arrêter et d'installer le camp, même si c'est un gros travail. Des soldats montent la garde tandis que d'autres creusent un fossé autour d'un carré. Puis on plante à l'intérieur une palissade de pieux acérés pour se protéger de l'ennemi.

Quand c'est terminé, il y a un repas à base de viande séchée, fromage, biscuits secs et vin aigre avant le coucher.

Demain il y aura une autre marche de 30 km et un autre arrêt, plus près du grand rêve de Rome : la conquête du monde !

Dessin de MARTIN BROWN

BIENVENUE EN GRANDE BRETAGNE

TRIOMPHE DE L'ORGANISATION : Malgré leur courage, les Celtes ne font pas le poids face à nos soldats.

DANS LA BATAILLE

En 80 ap. J.-C., alors que notre intrépide reporter suivait la légion, il fut témoin d'une bataille féroce entre nos valeureux soldats et une tribu celtique. Voici le récit qu'il nous fit parvenir...

Les guerriers ennemis sont terrifiants à voir : hirsutes, le corps enduit de peinture, l'épée à la main, ils se précipitent sur nous du haut de la colline en poussant leur cri de guerre. Selon leur tactique habituelle, nos légionnaires affrontent les Celtes en ligne de bataille. Nos troupes restent groupées et silencieuses en attendant les ordres des officiers.

LE COUP DE GRÂCE

Quand les Celtes sont suffisamment près, l'ordre d'attaquer est donné. Nos hommes lancent leurs javelots sur l'ennemi. Les longues lances de fer pleuvent sur les boucliers et les corps. Puis, sur un nouvel ordre, les légionnaires se mettent à courir. Une fois sur les ennemis, ils les frappent

et les taillent en pièces à l'aide leurs courtes épées.

Les Barbares se battent courageusement, mais ils finissent par s'enfuir en laissant des douzaines de morts et de blessés.

Les nôtres ont gagné, mais avec des ennemis aussi féroces que les Celtes, il faut s'attendre à d'autres batailles.

J'ai été aujourd'hui le témoin privilégié de la discipline et du courage romains, et je ne doute pas de notre victoire à venir.

DÉFENSE D'ENTRER !

Illustration de ALAN FRASER

Conquérir de nouvelles terres est déjà difficile, mais arriver à les conserver est parfois pire. *Le Journal du Temps* décrit les défenses construites pour empêcher les Barbares de pénétrer dans l'Empire : le limes.

En dépit de leurs victoires sur les champs de bataille, nos troupes n'ont pu soumettre toutes les tribus celtiques à l'extrême nord de la Grande Bretagne. C'est pourquoi en 122, l'empereur Hadrien a décidé de construire un mur de pierre qui s'étend sur 120 km en travers du pays pour maintenir ces redoutables tribus à l'extérieur.

Sa construction a duré plus de huit ans mais il atteint maintenant 5 mètres, soit trois fois la taille d'un légionnaire moyen !

Mais le Mur d'Hadrien n'est pas la plus longue fortification de l'Empire : le record est détenu par un gigantesque système de défense fait de bois et de terre, long de plus de 450 km. Il part de la côte atlantique de Gaule et marque la frontière nord de l'Empire.

Avec de telles défenses, nous pouvons dormir tranquilles.

tinelles y patrouillent jour et nuit. Quand ils sont de garde, les soldats habitent une des 80 tourelles (ou fortins) construites dans le mur à intervalles réguliers. Tout le long, de gros forts servent de bases aux soldats.

LA DERNIÈRE FRONTIÈRE : Un fortin du Mur d'Hadrien.

ROME, VISITE GUIDÉE

Illustrations de CHRIS FORSEY

Où que vous habitiez dans l'Empire, Rome est le centre de votre monde. **Vous n'y êtes jamais allé ? Quelle honte ! Il faut aller à Rome au moins une fois. Pour votre première visite,** *Le Journal du Temps* **vous présente en exclusivité un guide de notre capitale.**

Le mieux est de commencer par le cœur de la ville, c'est-à-dire le Forum Romain. Il ressemble au forum de n'importe quelle grande ville : une grande place entourée de bâtiments administratifs, tribunaux, temples, bureaux de banque et de négoce.

On ne trouve au Forum Romain aucune des boutiques ni étals habituels : ils sont au Forum de Trajan tout

l'honneur de nos plus grands empereurs, ainsi que quelques-uns des plus beaux monuments en pierre de Rome.

Au Sénat, faites bien attention : peut-être aurez-vous la chance de voir nos dirigeants s'y rendre à une réunion.

Il y a d'autres choses à voir à deux pas du Forum.

proche. En revanche, vous verrez de magnifiques arcs de triomphe et des statues dressées en

découvrirez la véritable atmosphère de la ville. Cependant, attention : si les rues de Rome sont pittoresques, elles peuvent être dangereuses ! Certains immeubles croulants dressent jusqu'à six étages au-dessus de rues étroites et sales, et leurs habitants jettent tout simplement par la fenêtre leurs ordures, y compris le contenu de leurs pots de chambre... alors faites attention où vous posez les pieds tout en gardant un œil en l'air !

Surveillez aussi votre argent. Il semble parfois que chacun du million d'habitants soit dans la rue où la foule est si dense que le vol devient un jeu d'enfants.

Il y a moins de circulation sur les routes que dans beaucoup

DANS LA RUE

C'est en vous éloignant du Forum que vous

À l'est vous trouverez le Colisée, où ont lieu les passionnants combats de gladiateurs, tandis qu'au sud vous tomberez sur le célèbre hippodrome du Grand Cirque.

LE FORUM : Les magnifiques bâtiments administratifs et commerciaux du centre ville.

Illustration de CHRISTIAN HOOK

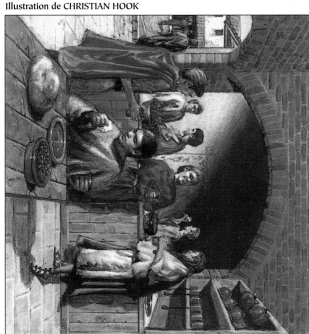

PAUSE : Reposez-vous dans un bar avec un délicieux casse-croûte.

COUSINS DE PROVINCE

Il est très facile de se moquer du provincial qui n'est jamais allé à la ville, alors que certains d'entre nous n'en sont jamais sortis ! Comment vit-on dans une ferme ? *Le Journal du Temps a enquêté.*

Ici en Toscane, on est à trois jours de Rome, et ça se voit ! Pas de bruit, à part le chant des coqs et le grincement des charrettes. Adossé au flanc d'une colline fertile, ce domaine est un endroit paradisiaque.

La villa à deux étages du propriétaire est aussi belle et confortable que n'importe quelle maison de ville d'une famille aisée. De grandes pièces, aux sols décorés de mosaïques élaborées et aux murs peints de fresques colorées, sont disposées autour d'un ravissant jardin intérieur.

LE TRAVAIL DE LA TERRE

Une cour de ferme animée, entourée de dépendances, s'étend derrière la villa. Il y a des chambres pour les 40 esclaves qui travaillent sur la propriété, et des remises pour les outils et les charrettes. Des étables abritent les bœufs qui tirent les charrues et les ânes qui transportent les charges.

Oies, chèvres, lapins et poules sont dans un enclos tout près, et on trouve aussi un étang poissonneux.

L'été tire à sa fin et les olives mûrissent au soleil. Dans la cour, les esclaves foulent le raisin pour le vin. Les granges regorgent déjà de blé et les entrepôts de fruits secs. La plupart de ces produits seront acheminés de la paisible Toscane ensoleillée jusqu'à la bruyante et poussiéreuse Rome. Et la prochaine fois que je boirai du vin dans un bar de la ville, je fermerai les yeux et rêverai à la Toscane !

...d'autres villes, car la plupart des véhicules sont interdits dans le centre ville durant la journée. Du coup, si vous couchez à Rome, le grondement des roues des charrettes sur les pavés ne vous laisse guère le loisir de dormir !

Si vous voulez faire une pause pendant votre visite, entrez dans un bar et commandez un verre de vin avec une bonne soupe ou un ragoût. Il y en a partout. C'est là que les Romains achètent des repas chauds, car seules les familles aisées jouissent d'une cuisine.

Mais ne vous reposez pas trop longtemps : dans une ville aussi merveilleuse que Rome, il y a toujours quelque chose de nouveau et passionnant à découvrir à portée de main.

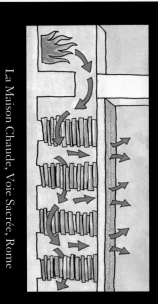
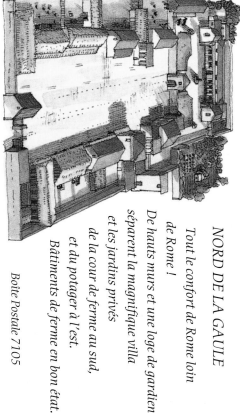

DIEUX TRADITIONNELS ★

Jupiter : roi des dieux et dieu du ciel.

Junon : déesse reine, déesse des femmes et de l'accouchement.

Minerve : déesse de la sagesse et de l'artisanat.

Mars : dieu de la guerre.

Neptune : dieu de la mer et de toutes les eaux.

Apollon : dieu de la lumière et de la guérison.

Diane : déesse de la lune et de la chasse.

Venus : déesse de l'amour et de la beauté.

Saturne : dieu de l'agriculture.

Pluton : dieu de la mort.

Mercure : messager des dieux et dieu des marchands.

JUPITER   JUNON   MINERVE   DIANE   NEPTUNE

QUELS DIEUX ?

Illustrations de NICKY COONEY

Il semble qu'à chaque nouvelle conquête de l'Empire nous découvrions une nouvelle religion. Mais en quoi ces cultes étrangers sont-ils comparables à nos dieux traditionnels ? *Le Journal du Temps* vous livre deux points de vue.

« Les dieux traditionnels nous suffisent ! » déclare fermement le grand prêtre du dieu Jupiter. « À eux tous, ils couvrent chaque instant de notre vie, de Junon, la déesse de la naissance, jusqu'à Pluton, le dieu de la mort.

Tous nos dieux nous protègent si nous les respectons et leur faisons plaisir avec des offrandes de prières et de cadeaux.

Bien sûr, il ne faut pas lésiner sur ces cadeaux : cochons, moutons ou bœufs font évidemment les meilleurs sacrifices, mais les offrandes de vin, de nourriture ou d'argent sont aussi bien vues.

Il faut également ne manquer aucune fête en l'honneur des dieux, ni les

décision importante à prendre, comme se lancer ou non dans un long voyage. Il faut d'abord savoir si les dieux approuvent votre projet. Vous pouvez aller voir un voyant qui prédit l'avenir en lançant les dés, ou un devin qui jette des os par terre et lit la réponse d'après leur disposition. Mais pour les décisions vraiment importantes qui peuvent avoir une influence sur tout

l'Empire, l'empereur fait appel à nous, les augures, ses devins personnels, pour consulter les dieux en son nom.

❓ Pourquoi nourrissez-vous des poulets ?

Les dieux ne nous répondent pas avec des mots, mais avec des signes. Mon travail consiste à lire ces signes. Si je jette du grain et que les poulets se précipitent

NOURRITURE DE POULET

Illustration de CHRISTIAN HOOK

Le TRAVAIL d'un augure consiste surtout à nourrir les poulets ! Pour en savoir plus, *Le Journal du Temps* s'est entretenu avec un membre du Collège des Augures.

❓ Que faites-vous exactement ?

Eh bien, vous savez ce que c'est que d'avoir une

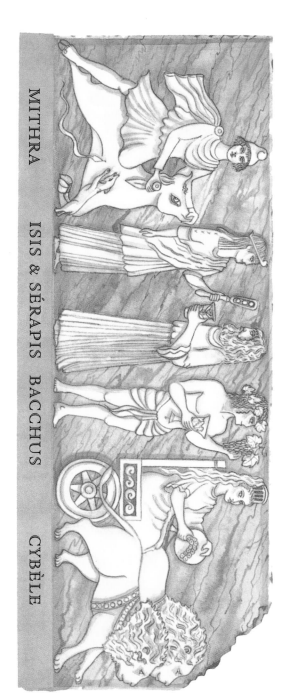

MITHRA   ISIS & SÉRAPIS   BACCHUS   CYBÈLE

NOUVEAUX CULTES

Mithra : dieu perse de la lumière et de l'obscurité, du bien et du mal.

Isis et Sérapis : dieux orientaux du cycle sans fin de la vie, de la mort et de la renaissance.

Cybèle : la Mère, déesse d'Asie Mineure de la fertilité, de la vie, de la mort et de la renaissance.

Bacchus : dieu grec du vin et de toutes les forces de la vie.

---

jeux donnés à cette occasion. Si nous nous occupons de nos dieux, ils s'occuperont de nous.

Évidemment, chaque homme, femme, et enfant de l'Empire devrait aussi vénérer l'empereur. Il fait tant pour nous qu'il est comme un dieu sur la terre.

Je n'arrive tout simplement pas à comprendre pourquoi les Romains devraient se tourner vers d'autres religions : nous avons bien

assez de dieux pour satisfaire tout le monde ! »

PLUS DE VIE

Mais lorsque nous avons demandé à un citoyen romain de nous donner son avis, ça a été un tout autre son de cloche : « Les dieux tradition-nels sont tellement ennuyeux ! Il faut tout le temps payer des sacrifices et réciter des prières. Où est l'enthousiasme là-

dedans ? Les nouveaux cultes sont beaucoup plus intéressants, aussi bien qu'au théâtre.

Quant à Bacchus ou Cybèle, il faut voir leurs cérémonies pour le croire. Hommes ou femmes, leurs adeptes se saoûlent ou dansent jusqu'à la transe.

Et puis ces nouveaux dieux promettent la vie dans l'autre monde après la mort. Voilà quelque chose que nos dieux romains ne nous ont

exemple le dieu Mithra : ses adeptes sont tous des hommes et, bien qu'ils soient tenus par le secret, j'ai entendu dire qu'ils se retrouvent dans des temples souterrains et pratiquent toutes sortes de dieux dangereux. Voilà pourquoi beaucoup de nos soldats adoptent Mithra.

Il y a aussi Isis et Sérapis : leurs adorateurs

dedans ? Les nouveaux cultes sont beaucoup plus intéressants, aussi bien qu'au théâtre.

font des défilés magni-fiques, aussi bien qu'au théâtre.

jamais offert ! »

---

dessus, je sais que les dieux sont avec nous. Mais si les poulets ne mangent pas le grain, il est évident que les dieux n'approuvent pas la décision de l'empereur. Dans ce cas, ce serait folie de ne pas en tenir compte.

2   N'importe qui peut-il devenir augure ?

Non, c'est l'empereur qui

désigne lui-même les augures parmi les plus riches et les plus importantes person-nalités, les sénateurs. Nous sommes 16, et un nouveau n'est nommé qu'à la mort de l'un de nous. C'est un grand honneur d'être choisi, nous avons l'un des rôles les plus importants de l'empire : nous assurer que les dieux soutiennent notre grand chef et approuvent ses décisions.

LA FÊTE DE SATURNE

17 décembre et pendant 3 jours !

✹ SACRIFICE D'OUVERTURE AU TEMPLE DE SATURNE À ROME.

✹ FÊTE POPULAIRE, BUFFET OUVERT À TOUS.

✹ CHANTS, DANSES ET JEUX.

GRAINES DE VÉRITÉ : Un augure cherche à connaître la volonté des dieux.

LE TRAVAIL DES FEMMES

Illustrations de TUDOR HUMPHRIES

VIERGE VESTALE : Une vie consacrée à s'occuper du feu sacré.

FEMMES DE ROME, il est temps de dire ce que vous pensez ! On vous appelle le sexe faible et on vous destine à être épouses et mères, mais êtes-vous d'accord ? *Le Journal du Temps* a demandé à trois femmes ce qu'elles pensaient de leur vie…

FEMME DE SÉNATEUR
33 ans

« Je n'ai pas vraiment le temps de penser à ma vie. Mon mari prend toutes les décisions importantes, comme dans tous les ménages, mais j'ai la responsabilité de tenir la maison et de diriger les esclaves. Quant aux enfants, ils sont si difficiles : j'en ai eu huit, et heureusement seuls trois sont morts bébés. J'ai eu de la chance aussi, tant de femmes meurent en couches.

En ce moment, j'apprends à mes filles ce qu'elles doivent savoir pour se marier : filer, tisser, cuisiner, diriger les esclaves… l'essaie de trouver le temps d'aller aux bains publics chaque jour. Et puis il y a les dîners ou les sorties au théâtre avec mon mari. Je n'ai pas de temps pour autre chose.

Certaines de mes amies aiment parler politique avec leur mari, et se plaignent souvent que les femmes n'ont rien à dire sur la manière dont notre pays est dirigé : nous n'avons jamais eu le droit de voter et ne pouvons pas aller au tribunal. Mon mari

n'apprécie pas vraiment ce genre de femmes, et ça tombe bien car la politique m'ennuie. »

PATRONNE DE BAR
24 ans

« J'aime ma vie. Je ne suis pas mariée, ce bar m'appartient donc personnellement, sans homme pour me dire ce que je dois faire ! Ce n'est pas rare pour une femme de travailler : beaucoup participent aux affaires de leur mari ou tiennent leur propre boutique.

Cela dit, c'est parfois difficile pour une femme de tenir un bar, surtout si les clients boivent trop

de vin. Là, je dois intervenir et leur montrer qui commande ! »

VIERGE VESTALE
30 ans

« Ce n'est pas facile de donner sa vie entière pour entretenir le feu sacré de Vesta, la déesse du foyer. Nous, les Vestales, nous quittons nos familles quand nous avons entre 6 et 10 ans. Puis nous vivons pendant 30 ans près du temple. Nous n'avons pas le droit de nous marier.

Mais je ne changerais pas de vie. Contrairement aux autres femmes, nous n'avons pas à obéir aux ordres de notre père, et nous avons des honneurs spéciaux, comme les meilleures places aux jeux. Vraiment, notre rang dans la société est si important que même les hommes nous traitent avec respect. »

FEMME DE SÉNATEUR : Une vie consacrée à s'occuper de la maison.

LE COIN DE CORNELIA

Illustration d'ALAN FRASER

SUR LE SEUIL : Vous porter chez lui portera chance à votre mari.

Cette page du Journal du Temps a aidé des milliers de femmes au cours des années. Voici des réponses à quelques questions classiques sur le mariage.

? J'ai 18 ans et ne suis toujours pas mariée. Est-ce trop tard ?

Il est vrai que beaucoup de filles sont mariées vers 12 ans, mais toutes n'ont pas cette chance ! Il est encore temps pour vous si votre père arrange vite quelque chose.

? Je voudrais un mariage traditionnel, mais je ne sais pas quoi faire.

Même s'il suffit de s'installer chez un homme pour être considérée comme mariée (c'est ce que font la plupart des femmes) une cérémonie de mariage montrera aux gens que votre famille est riche.

Pensez à porter une tunique blanche traditionnelle et un voile couleur de feu sur les cheveux.

La journée commencera chez votre père avec les cérémonies de mariage et un sacrifice aux dieux : un cochon fera l'affaire. Puis il y aura une grande fête aux frais de votre mari.

Ensuite vous partirez chez lui. Entrer en marchant dans votre nouvelle maison porte malheur, n'oubliez pas qu'il devra vous prendre dans ses bras pour franchir le seuil.

? Qu'arrivera-t-il si je quitte mon mari ?

Bonnes nouvelles : beaucoup de femmes divorcent, et vous n'aurez pas à expliquer pourquoi. Vous récupérerez tout l'argent que votre père a donné à votre mari quand vous vous êtes mariés.

Mauvaise nouvelle : vous *devrez* laisser vos enfants à votre mari.

TOUS LES CHEMINS MÈNENT À ROME

Illustrations de KATHERINE BAXTER

LES ROUTES MAINTIENNENT L'UNITÉ DE L'EMPIRE ! Pour gouverner un tel territoire, les empereurs doivent pouvoir envoyer rapidement des messages dans n'importe quelle ville, et les soldats se déplacer facilement d'une région à une autre en cas de troubles.

Ceci est possible grâce aux 80 450 km de routes qui quadrillent l'Empire. *Le Journal du Temps* rend hommage aux ingénieurs à l'origine de cet incroyable réseau, et examine certaines de leurs autres réalisations.

ARCHES : Solides et élégantes.

■ SYSTÈME HYDRAULIQUE

Que ferions-nous sans eau : pas de bains, pour commencer ! Mais au fait, qui sait d'où vient notre eau ?

Pour beaucoup de villes, l'eau est acheminée depuis les rivières du haut des collines. Elle peut couler des centaines de kilomètres dans des canaux spéciaux en pierre, les aqueducs. Lorsqu'ils doivent franchir des vallées, ceux-ci se dressent sur des ponts gracieux, loin au-dessus du sol. Mais ces constructions impressionnantes n'auraient pas été possibles si les ingénieurs romains n'avaient pas découvert la solidité de l'arche !

CANAUX : Pour amener l'eau.

■ ÉNERGIE HYDRAULIQUE

Non seulement nos ingénieurs font couler l'eau où ils le veulent, mais ils utilisent sa force pour faire fonctionner les machines. L'eau est canalisée dans des aqueducs jusqu'à une pente raide qui débouche sur une batterie de roues hydrauliques. La force de l'eau fait alors tourner les roues qui entraînent les roues dentées situées dans le moulin. Celles-ci font tourner les énormes pierres plates qui broient le grain en farine. Ainsi peut-on faire du pain pour nourrir une ville !

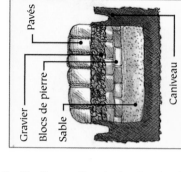

ROUTES : Un sandwich de pierre.

TAILLEUR DE PIERRE au travail.

■ SUR LA BONNE VOIE

Plus la route est droite, plus on voyage vite. Nos routes ne sont pas seulement droites, mais aussi bien drainées et très solides. Comment font nos ingénieurs ?

D'abord, les géomètres utilisent des outils de mesure spéciaux pour décider de la route la plus directe. Ensuite, les soldats fournissent tout le travail de force : ils commencent par creuser une tranchée dans laquelle on étale la base de la route : souvent une couche de sable recouverte de blocs de pierre assemblés avec du ciment. Vient ensuite du gravier mélangé à du béton, la surface enfin est constituée de pavés ou de blocs de pierre résistante.

La touche de génie finale est de bomber la surface, de manière à ce que l'eau de pluie ne stagne pas mais s'écoule dans les caniveaux de chaque côté de la route.

GÉOMÈTRE : Alignement.

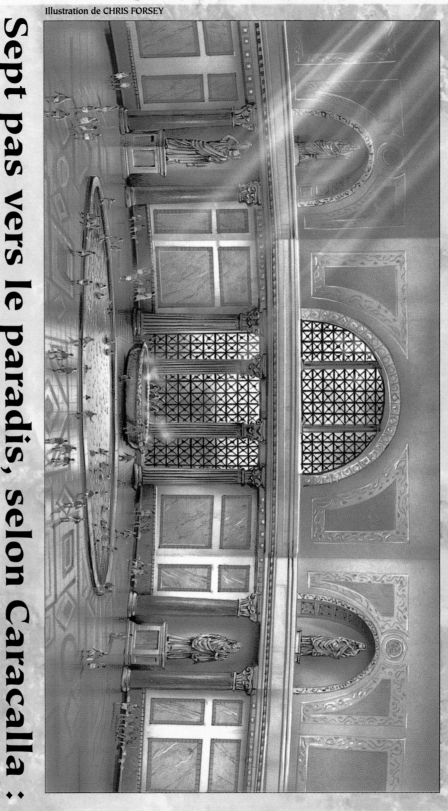

CHIC ET CHOC

Illustrations de SUE SHIELDS

Mesdames, vous en avez assez de ces modes qui passent ? Alors laissez *Le Journal du Temps* vous aider à sortir du lot !

✦ LES VÊTEMENTS

La basique tunique longue ne se démode pas, dieu merci, ni l'élégante stole, cette sur-tunique à manches à ne porter bien sûr qu'une fois mariée. Pour la promenade, un long manteau flottant est ce qu'il y a de mieux. Mais tout est dans le choix de la couleur et du tissu. Beaucoup ne peuvent s'offrir que du lin ou de la laine tristement blanc cassé ou gris. Si vous pouvez vous permettre des tissus colorés, surtout

de la soie ou du coton, vous ferez des envieuses.

Les couleurs les plus à la mode sont bleu, rouge, vert d'eau et jaune safran, mais évitez le pourpre : c'est le summum de la vulgarité, sauf si vous faites partie de la famille de l'empereur ou d'un sénateur.

SOIRÉE DE GALA : Mettez-vous sur votre 31 pour faire impression.

beauté est d'éviter le soleil afin de garder un teint clair et pas une ombre de vulgaire bronzage. S'il est pour vous difficile de ne pas sortir, on trouve quantités de pommades éclaircissantes et de poudres dans le commerce.

✦ LES CHEVEUX

La coiffure est un autre moyen de se faire remarquer. La dernière mode est très élaborée : tresses, tortillons, boucles et frisures, le tout aussi haut que possible. Ne prenez pas le risque de vous faire coiffer par une esclave non professionnelle sous peine de désastre !

Même si certaines femmes la trouvent trop voyante, la couleur la plus recherchée est blonde. Si vous êtes brune, comme la plupart d'entre nous, essayez de vous décolorer ou portez une perruque blonde, mais choisissez-la de bonne qualité.

✦ LE MAQUILLAGE

La première règle de

Appliquez un peu de rouge sur vos joues pour leur donner de l'éclat, et faites vos yeux et vos sourcils avec de la suie ou des œufs de fourmis écrasés, mais sans en abuser pour ne pas donner dans la vulgarité.

✦ LES BIJOUX

Encore une fois, pas trop. D'accord pour des bagues, des bracelets aux bras et aux chevilles et des colliers, mais pas de boucles d'oreille, vous auriez l'air d'une Barbare !

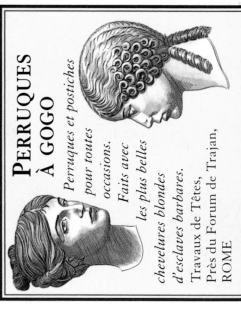

QUI PORTE LA CULOTTE ?

Illustrations de SUE SHIELDS

Dessin de MARTIN BROWN

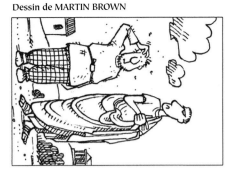

Les Gaulois, les Grands Bretons, et Lmême quelques-uns de nos soldats la portent. Mais nous autres hommes, devons-nous aussi nous mettre au pantalon ? Les Barbares assurent que c'est confortable et chaud, mais *Le Journal du Temps* s'obstine à préférer la tunique et la toge classiques, et voici pourquoi.

RIEN n'est plus facile à porter qu'une tunique : enfilez-la simplement par la tête, ceinturez-la, et voilà, vous êtes prêt !

Que votre tunique soit en lin ou en laine n'a guère d'importance, mais elle doit vous arriver au genou pour ne pas entraver la marche. Une solide tunique en cuir est ce qu'il y a de mieux pour un ouvrier, bien sûr.

Et quoi de plus simple ou de plus chaud qu'une toge de laine ? Même les jeunes apprennent vite à la porter : la passer sur l'épaule gauche, puis derrière le dos et sous le bras droit, la coincer dans la ceinture puis la rejeter

par-dessus l'épaule gauche.

La toge est plus qu'une mode, elle annonce que vous êtes un citoyen et pas un esclave. Et pensez à la fête que l'on fait pour le 14ème anniversaire d'un garçon, le jour où il échange définitivement la toge rayée de violet de l'enfance pour une toute blanche d'adulte.

L'IMAGE DU POUVOIR :
Un sénateur exhibe ses bandes.

LE POUVOIR DE LA POURPRE

Bien sûr, le plus grand honneur va à nos gouvernants : comme nos sénateurs doivent être fiers de la large bande pourpre qui borde leur toge !

En comparaison, les Barbares ont l'air miteux. Leur pantalon bouffant à carreaux et leur rustique chemise de laine conviennent peut-être pour les froides régions du nord, mais pas ailleurs. Alors montrez au monde que vous êtes Romain et portez fièrement votre toge !

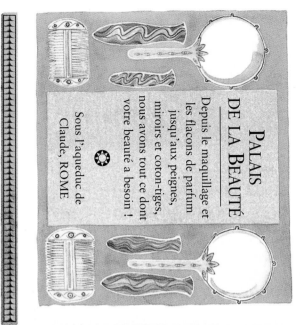

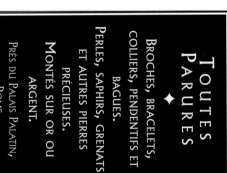

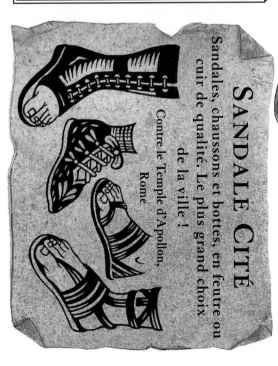

FESTINS FANTASTIQUES !

Illustrations de RICHARD HOOK

LE JOURNAL DU TEMPS **vous dit comment faire : dix conseils pour réussir votre soirée.**

1 INVITÉ DE MARQUE

Tout le monde veut rencontrer des gens connus, alors invitez une célébrité, sénateur ou général, et toutes les personnalités de la ville voudront venir aussi.

2 LONG SUSPENSE

N'invitez plus personne jusqu'à la veille du dîner, les gens seront d'autant plus inquiets. Et envoyez vos esclaves convier les gens individuellement afin que chacun se sente privilégié.

3 PARFUMS AGRÉABLES

Parfumez votre maison de fleurs ou d'huiles pour détendre vos invités. Quand ils seront assis, vos esclaves leur laveront les mains et les pieds à l'eau parfumée.

4 ESPACE ET CONFORT

Laissez de l'espace à vos hôtes, n'en entassez pas plus de trois par divan. Et ne disposez pas plus de trois divans autour d'une table.

5 AMBIANCE MUSICALE

La musique est un autre moyen de mettre les gens à l'aise. Assurez-vous cependant que les musiciens que vous engagez sont des professionnels, et demandez-leur de jouer doucement afin de ne pas gêner la conversation. Flûtes et harpes sont idéales.

6 BONS VINS

Vous proposerez sûrement un choix de

GRANDE SOIRÉE : Mets raffinés et spectacle exotique pour une soirée inoubliable.

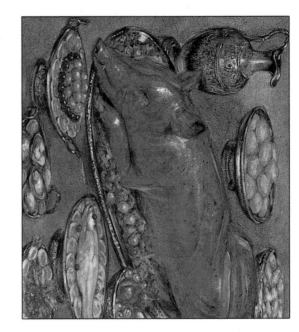

7 PLUS ET MIEUX

Vous pouvez offrir de trois à dix plats, mais plus il y en a, mieux c'est.

Pour commencer, les traditionnelles olives, salades et huîtres, mais aussi des choses plus originales, comme des œufs de paonne.

Continuez avec des plats de poissons et de viandes. Le loir farci a toujours du succès. Faites préparer à votre cuisinier un grand choix de sauces appétissantes. Terminez le repas avec des noisettes, des fruits, et bien sûr, des gâteaux au miel.

8 PLAT PRINCIPAL

Servez votre plat le plus exotique au milieu du repas. Nous suggérons un flamant ou un faisan, un sanglier ou un grand poisson savoureux comme un esturgeon. Présentez l'animal entier farci.

9 INFIRMERIE

Il y en a toujours qui ont les yeux plus gros que le ventre. Préparez une pièce vomitorium pour que vos hôtes puissent être malades en paix et revenir à table ensuite.

10 CABARET SPECTACLE

Engagez jongleurs, acrobates, prestidigitateurs ou danseurs exotiques pour distraire vos invités pendant et après le repas. Nous vous déconseillons les combats de gladiateurs, le sang risquerait de faire désordre chez vous !

---

vins : corsé, chambré, glacé, ou sucré avec du miel, mais ne gâchez pas la fête en laissant les gens boire trop tôt : coupez le vin d'eau !

QUEL PLAT !

Surprenez vos amis avec les mets du livre de recettes de cet amoureux de la très bonne chère, Apicius.

AUTRUCHE BOUILLIE

♦ S'assurer que l'autruche est bien plumée et la découper en gros morceaux.

♦ Mettre les morceaux dans de grandes casseroles, couvrir d'eau et laisser mijoter.

♦ Faire une sauce à base de poivre, graines de céleri, dattes, miel, vinaigre, menthe, court-bouillon et huile. Porter à ébullition et épaissir avec de la maïzena.

♦ Reconstituer l'autruche avec les morceaux et la recouvrir de sauce chaude.

ESCARGOTS EN BOUCHÉES

♦ Se procurer les escargots quelques semaines à l'avance.

♦ Ne choisir que les comestibles. Il en faut une dizaine par personne. Nettoyer soigneusement les coquilles.

♦ Déposer les escargots vivants dans un récipient avec du lait jusqu'à ce qu'ils soient gras et juteux.

♦ Les faire frire dans l'huile et servir chaud.

GRATUIT POUR TOUS

LES EMPEREURS CROIENT qu'ils se rendront populaires en distribuant de la nourriture à tous les citoyens de Rome. *Le Journal du Temps* a interrogé un quidam dans la rue pour savoir ce que les gens pensent réellement de ces cadeaux.

« Hé bien, je ne sais pas si ça rend les empereurs populaires, mais ça leur évite un coup de couteau dans le dos !

En fait, pour les riches ça va, ils peuvent s'acheter ce qu'ils veulent. Beaucoup ont des fermes à la campagne et produisent ce dont ils ont besoin, mais nous autres ! Maintenant, nous sommes si nombreux à habiter Rome que les paysans n'arrivent pas à nourrir tout le monde. La moitié du temps, on ne trouve même pas dans les boutiques les aliments de base comme le pain ou les haricots, ni de fruits et légumes, sans parler de la viande et du poisson.

Ceci dit, la viande est tellement chère, je vous assure que je n'ai pas souvent les moyens de m'en offrir !

Il faut reconnaître que ma famille aurait souvent faim sans les distributions mensuelles de l'empereur. On nous donne du grain pour faire le pain, ainsi que de l'huile d'olive et du vin. Et aussi du porc, maintenant.

Tout cela coûte certainement une fortune à l'empereur, mais il y aurait des émeutes s'il arrêtait ! Et de toute façon, c'est une tradition, cela dure depuis des centaines d'années, depuis au moins 58 av. J.-C.

Moi, je souhaite longue vie à l'empereur... enfin, tant qu'il continuera à aider ma famille et mes amis, bien sûr ! »

SE FAIRE BIEN VOIR

À BAS L'ÉCOLE !

Illustrations d'ANGUS MCBRIDE

UNE PERTE DE TEMPS ! Voilà comment un garçon de 12 ans juge l'école. Il se plaint au Journal du Temps. Un maître lui répond.

« Depuis que j'ai 7 ans, dès l'aube, un esclave me conduit à l'école cinq jours par semaine. Ensuite je dois rester tranquille toute la matinée à écouter mon maître d'école radoter en essayant de m'apprendre à lire, écrire et compter, et pas seulement dans notre langue, le latin, mais aussi en grec.

Quand j'ai eu 11 ans, c'est devenu pire ! Ma sœur a arrêté l'école à 12 ans parce qu'elle s'est mariée, moi on m'a envoyé à un autre maître, un grammairien. Je dois étudier la poésie et l'histoire, ainsi que

les œuvres de grands penseurs comme Platon. Je ne vois pas l'intérêt de toutes ces vieilleries. Il faut tout apprendre par cœur et

répondre à des questions à n'en plus finir, et si je me trompe, mon maître me fouette ! La plupart des enfants romains de mon âge ne vont pas du tout à l'école. Ils travaillent avec leur père en apprenant son métier. Pourquoi pas moi ? »

DROIT DE RÉPONSE

Au Journal du Temps, nous aimons présenter les arguments des deux parties, c'est pourquoi nous avons demandé à un maître de répondre.

« Hé bien, pour

commencer, ce jeune devrait comprendre la chance qu'il a d'avoir une éducation. La plupart des enfants ne vont pas du tout à l'école parce que leurs parents n'en ont pas les moyens. Son père doit être riche.

Ce garçon ne se rend pas compte que ce n'est pas de lire les auteurs grecs et romains qui est important, mais que répondre à des questions sur leurs idées lui apprend l'art de la discussion. C'est le premier pas pour parler en public, ce qui est vital s'il veut plus tard devenir sénateur ou homme politique. »

Alors voilà, jeune homme : l'école t'aidera à débuter dans la vie. Suis les cours, travaille dur, et arrête de te plaindre !

PAS LE CHOIX : Les enfants qui ne vont pas à l'école doivent travailler, comme ce fils de forgeron.

QUELQUES DATES

EMPLOIS

ON RECHERCHE ACTEURS

Pour jouer dans une nouvelle comédie du célèbre dramaturge Plaute. Masques et costumes fournis.

Se présenter au Théâtre de Marcellus, Rome

Vous êtes courageux, vif et costaud ?

Devenez pompier !

Il s'agit de patrouiller dans les rues pour repérer les incendies.

Présentez votre candidature au Préfet des Pompiers, à Rome

ON DEMANDE TAILLEUR SUR PIERRE

Pour de nouvelles statues au Forum Romain, Rome

BP 4932

À VENDRE

BOULANGERIE

Située à Ostie. Entièrement équipée avec four en terre neuf, moules, et réserve de grain.

BP 8422

ATTENTION AU CHIEN

Toutes sortes de panneaux pour votre porte.

Éloignez les cambrioleurs ou accueillez les visiteurs avec notre choix de pancartes en mosaïques.

Les Décorateurs, près des Thermes de Néron
ROME

---

753 av. J.-C. Romulus fonde la ville de Rome.

509 av. J.-C. Le dernier roi est renvoyé de Rome et la République romaine débute.

264-202 av. J.-C. Deux longues guerres contre les Carthaginois, les guerres Puniques, se terminent par la domination romaine sur la ville de Carthage. Cette ville sera finalement détruite en 146 av. J.-C., lors de la troisième guerre Punique.

49-45 av. J.-C. Guerre civile qui débouche sur la dictature à vie de Jules César.

44 av. J.-C. Assassinat de Jules César.

42-31 av. J.-C. D'autres guerres civiles se terminent par la victoire d'Auguste à la bataille d'Actium.

27 av. J.-C. Auguste devient le premier empereur, c'est le début de l'Empire romain.

43 ap. J.-C. Début de la conquête de la Grande Bretagne, qui devient la limite nord de l'Empire.

71 ap. J.-C. L'empereur Vespasien donne un triomphe pour célébrer sa victoire sur les Hébreux en Palestine.

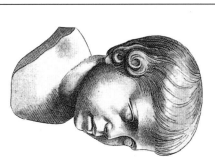

79 ap. J.-C. Pompéi est détruite par l'éruption soudaine du Vésuve.

116 ap. J.-C. Sous l'empereur Trajan, l'Empire atteint ses dimensions maximum.

117-138 ap. J.-C. Des défenses de bois et de terre sont construites le long des frontières nord-est de l'Empire : le limes.

122 ap. J.-C. Début de la construction du Mur d'Hadrien en Grande Bretagne.

285 ap. J.-C. L'empereur Dioclétien divise l'Empire entre quatre co-empereurs.

324 ap. J.-C. Constantin réunit l'Empire et devient le seul empereur. En 326, il fonde en Asie Mineure une nouvelle capitale, Constantinople.

395 ap. J.-C. L'Empire est de nouveau divisé pour devenir les Empires d'Orient et d'Occident.

410 ap. J.-C. La ville de Rome est pillée par des Barbares, les Wisigoths.

455 ap. J.-C. Rome est de nouveau mise à sac par d'autres Barbares, les Vandales.

476 ap. J.-C. Dès lors, l'Italie est dirigée par des rois barbares. C'est la fin de l'Empire romain d'Occident. L'Empire d'Orient devient l'Empire byzantin.

Dans ce livre, certaines dates sont suivies de « av. J.-C. », ce qui signifie « avant Jésus-Christ ». Ainsi, 300 av. J.-C. veut dire 300 ans avant la naissance de Jésus.

En revanche, « ap. J.-C. » signifie que l'événement a eu lieu après la naissance de Jésus. Sans précision, cela veut aussi dire que l'on se situe après Jésus-Christ. Les anciens Romains ne comptaient pas les années ainsi.

LES CHIFFRES ROMAINS

Milliers		Centaines		Dizaines		Unités
M	D	C	L	X	V	I
1000	500	100	50	10	5	1

Auteur : Andrew Langley

Consultant :
Philip de Souza
St Mary's University
College,
University of Surrey

Rédactrice : Lesley Ann
Daniels

Maquettiste : Beth Aves

Dessins publicitaires de :
Katherine Baxter 19bd
Nicky Cooney 11hg,
27bg, 31
Maxine Hamil 18bd,
27bd, 30bg
Matthew Lilly 19bg
Robbie Polley 18bg
Sue Shields 23bg
Tony Smith 23mg, 30bd
Mike White 23hg, 26

Frises décoratives de :
John Le Brocq : 1bm
Nicky Cooney : 13hd, 26
Maxine Hamil : 1, 9, 17, 19,
20 – 21, 29
Sue Shields : 22

Avec nos remerciements à :
Linden Artists Ltd, Pennant
Illustration Agency,
Temple Rogers Artists'
Agents, Virgil Pomfret
Artists Agency Ltd.

Édition parue sous le titre :
« *The Romans News* »
aux Éditions Walker
Book Ltd.
87 Vauxhall walk
Londres SE 11 5HJ

Traduit par
Chantal de Fleurieu

Text © 1996
Andrew Langley

Illustrations © 1996
Walker Books Ltd

© 2001 Éditions Épigones
pour l'édition française
ISBN : 2-7366-6098-6

Dépot légal :
Automne 2001
Bibliothèque Nationale
Imprimé en CEE

Éditions Épigones
80 rue de Vaugirad
75006 Paris

EMPEREURS ROMAINS IMPORTANTS ET LEURS DATES DE RÈGNE

- ◆ **Auguste,**
  premier empereur   27 av. J.-C.-14 ap. J.-C.
- ◆ **Claude,**
  agrandit l'Empire   41-54 ap. J.-C.
- ◆ **Néron, empereur tyran,**
  se suicide   54-68 ap. J.-C.
- ◆ **Vespasien,**
  construit le Colisée   69-79 ap. J.-C.
- ◆ **Trajan, agrandit l'Empire**
  vers l'est   98-117 ap. J.-C.
- ◆ **Hadrien,**
  construit de solides défenses
  aux frontières   117-138 ap. J.-C.
- ◆ **Dioclétien, divise l'Empire**
  entre quatre hommes   284-305 ap. J.-C.
- ◆ **Constantin,**
  réunifie l'Empire   306-337 ap. J.-C.
- ◆ **Romulus Augustule,**
  dernier empereur de l'Empire romain
  d'Occident   475-476 ap. J.-C.